Bonjour, poussin

Texte de Mirra Ginsburg
d'après une histoire de Korney Chukovsky
Illustrations de Byron Barton

l'école des loisirs
11 rue de Sèvres à Paris 6ᵉ

Il y avait une petite maison,
blanche et lisse

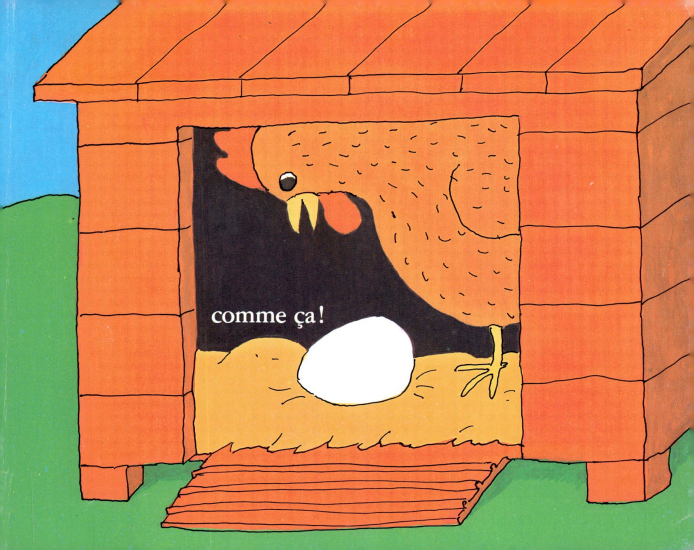

Un matin tap-tap et crac!
La maison se fend

Et un poussin sort.
Il est petit, jaune et duveteux

Avec un bec jaune
et des pieds jaunes

comme ça!

Sa mère s'appelle Poule Rousse.
Elle est

comme ça!

Elle aime son poussin
et lui apprend à manger des vers,
des graines et des miettes,
pic-pic, pic-pic, pic-pic,

comme ça!

Un gros chat noir bondit
par la porte en menaçant le poussin

comme ça!

La Poule Rousse ouvre ses ailes
et cache le poussin

comme ça!

« Cot-cot, cot-cot ! » gronde-t-elle,
et le chat fait marche arrière

comme ça!

Un coq vole sur la barrière,
allonge le cou et chante
Cocorico !

comme ça!

«C'est facile», dit le poussin,
«je sais le faire aussi.»
Il bat des ailes et court.
Il allonge le cou et ouvre le bec

comme ça !

Mais tout ce qui sort
de son bec est un minuscule
cui! cui!
Il ne regarde pas où il marche
et tombe dans une mare.
Floc!

comme ça!

Une grenouille est assise et rit.
«Coa! Coa! Attends d'être grand
pour faire cocorico.»
La grenouille le regarde

comme ça!

Et le poussin mouillé, regarde, il est

comme ça!

La Poule Rousse court vers son poussin.
Elle le réchauffe et le dorlote

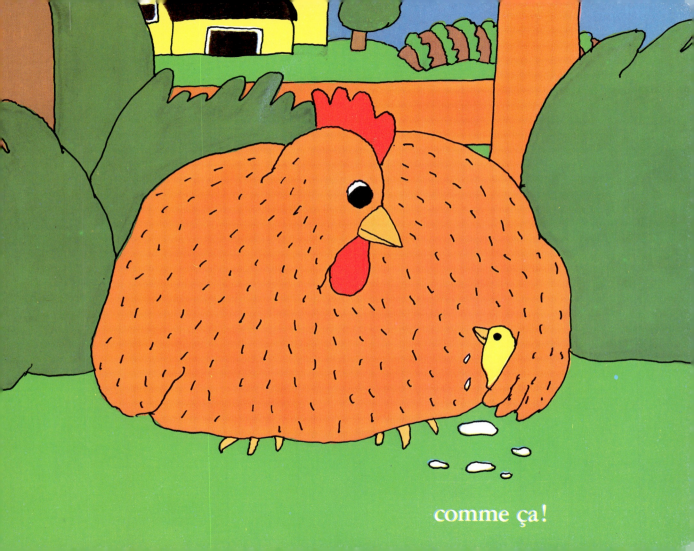

comme ça!

Et quand le poussin est sec,
à nouveau rond, doré et duveteux,
il part avec Poule Rousse chercher
des vers, des miettes et des graines,
pic-pic, pic-pic, pic-pic,

comme ça!

Traduit de l'américain par Catherine Chaine
Première édition dans la collection « lutin poche » : septembre 1982
© 1981, l'école des loisirs, Paris, pour l'édition en langue française
© 1980, Mirra Ginsburg pour le texte original, © 1980, Byron Barton pour les illustrations
Titre de l'édition originale : « Good Morning, chick », (Greenwillow Books, New York)
Loi n° 49.956 du 16 juillet 1949 sur les publications destinées à la jeunesse : septembre 1982
Dépôt légal : août 1998
Imprimé en France par Jean Lamour à Maxéville